Você é aquilo que pensa

JAMES ALLEN

Você é aquilo que pensa

Jardim
Dos
Livros

Título original: **As a Man Thinketh**

Copyright © by James Allen
1ª edição — Março de 2022

Grafia atualizada segundo o Acordo Ortográfico da Língua Portuguesa de 1990, que entrou em vigor no Brasil em 2009.

Publisher
Luiz Fernando Emediato

Editora
Fernanda Emediato

Assistente Editorial
Ana Paula Lou

Capa
Alan Maia

Tradução
Cláudia Ramos

Adaptação
Gypsi Canetti

Dados Internacionais de Catalogação na Publicação (CIP) de acordo com ISBD

A425v   Allen, James
      Você é aquilo que pensa / James Allen ; traduzido por Cláudia Ramos. - São Paulo : Jardim dos Livros, 2022.
      112 p. : il. : 13,5cm x 20,5cm.

      Inclui índice.
      ISBN: 978-65-88438-22-0

         1. Transformação Pessoal. 2. Desenvolvimento Pessoal. 3. Comportamento. 4. Motivação.
      I. Ramos, Cláudia. II. Título.

                             CDD 158.1
2022-247   CDU 159.947

Elaborado por Vagner Rodolfo da Silva - CRB-8/9410

Índice para catálogo sistemático:
1. Autoajuda   158.1
2. Autoajuda   159.947

GERAÇÃO EDITORIAL
Rua João Pereira, 81 — Lapa
CEP: 05074-070 — São Paulo — SP
Telefone: +55 11 3256-4444
E-mail: geracaoeditorial@geracaoeditorial.com.br
www.geracaoeditorial.com.br

Impresso no Brasil
Printed in Brazil

SUMÁRIO

PREFÁCIO

Este pequeno livro (que resulta de meditação e de experiência) não pretende ser um tratado sobre o poder do pensamento, um tema já exaustivamente esmiuçado e acerca do qual já tanto se escreveu. É mais sugestivo do que explicativo, e tem como objetivo estimular homens e mulheres a descobrirem e a tomarem consciência de que...

"são eles próprios os criadores de si mesmos",

em função dos pensamentos que escolhem e fomentam; que esse entendimento é o tecelão de excelência tanto do traje interior que é o nosso caráter como das vestes exteriores que são as circunstâncias da vida; e que, se até ao momento podemos ter tecido essas roupas com ignorância e dor, de agora em diante poderemos tecê-las de uma forma consciente e feliz.

JAMES ALLEN
BROAD PARK AVENUE,
ILFRACOMBE
INGLATERRA

Pensamento

e

caráter

O ser humano é,
literalmente, aquilo que pensa.

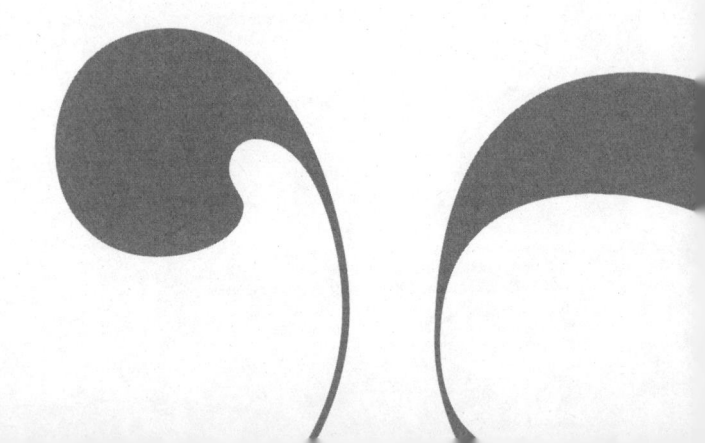

A máxima "Você é aquilo que pensa ser" abrange não só a totalidade do teu ser, como todas as condições e circunstâncias da tua vida. O ser humano é, literalmente, *aquilo que pensa*, sendo o seu caráter a soma completa de todos os seus pensamentos.

Tal como a planta nasce da semente — e sem ela não pode existir —, cada ato do Homem brota das sementes ocultas do seu pensamento e sem elas jamais poderia ocorrer. Isso aplica-se não apenas aos atos ditos "espontâneos" e "imprevisíveis", mas também aos praticados de modo intencional.

Os atos são a flor do pensamento, e a alegria e o sofrimento são os seus frutos. Da mesma maneira, também o Homem colhe frutos doces ou amargos no próprio pomar.

> Foi o pensamento da mente que nos fez. O que somos
> Por pensamentos foi forjado e criado. Se a mente do
> Homem foi
> Com maus pensamentos alimentada, a dor se seguirá,
> Como a roda da carroça segue a passada do boi...
> ... Se ele conservar
> Em pureza o pensamento, a felicidade o seguirá,
> Como a própria sombra — não há que duvidar.

O Homem é uma evolução por lei, não uma criação artificial, e a causa e efeito são tão absolutos e invariáveis no reino oculto do pensamento como no mundo das coisas visíveis e materiais. Um caráter nobre e bom não é consequência da sorte ou do acaso, mas, sim, o desfecho natural que surge de um esforço constante em manter pensamentos dignos. De igual modo, e pelo mesmo processo, um caráter ignóbil e desprezível resulta de acolher constantemente pensamentos impróprios.

O Homem cria-se ou desfaz-se a si mesmo. No arsenal das ideias, forja as armas com que ele próprio se destrói, tal como molda as ferramentas com as quais constrói para si mansões paradisíacas de alegria, força e paz. Por meio da escolha dos pensamentos certos e da sua genuína aplicação, o Homem ascende à perfeição; pela aplicação errada e abusiva do pensamento, desce ao mais baixo dos níveis. É entre esses dois extremos que se encontram todas as variantes do caráter — e é o Homem o seu criador e mestre.

De todas as mais belas verdades ligadas à alma, restauradas e trazidas à luz nesta era, nenhuma é mais feliz ou mais profícua de promessa e confiança divinas do que esta: o ser humano é o dono e senhor do seu pensamento, o modelador do caráter e o criador e forjador das suas condições, do seu ambiente e do seu destino.

Como ser dotado de força, inteligência e amor, além de senhor dos próprios pensamentos, o Homem detém a chave de todas as situações, e tem dentro de si a entidade transformadora e regeneradora com a qual consegue fazer de si mesmo aquilo que desejar.

O Homem é sempre o mestre, mesmo no seu estado de maior fraqueza e desamparo; entretanto, é na sua fraqueza e degradação que se revela o mais insensato dos mestres, que desgoverna o próprio "lar". Só quando se dedica a refletir sobre a sua condição e a buscar diligentemente a lei pela qual foi criado é que se torna o mais sensato dos mestres, direcionando as suas energias com inteligência e orientando os seus pensamentos para questões que lhe são proveitosas. É, portanto, um *mestre consciente*, e o Homem só consegue sê-lo após descobrir *dentro de si* as leis do pensamento — uma descoberta que apenas tem por base a dedicação, a autoanálise e a experiência.

Tal como o ouro e os diamantes, que só se encontram após intensa procura e mineração, o ser humano precisa escavar bem fundo na sua alma para poder alcançar todas as verdades do ser. Assim também, se souber vigiar, controlar e adaptar os seus pensamentos — identificando as relações entre as causas e os efeitos tanto sobre si como sobre os outros e sobre as circunstâncias da sua vida, e aproveitando cada experiência e cada acontecimento cotidiano, por mais banais que sejam —, alcançará o conhecimento de si próprio. Então, acabará por provar inequivocamente que é ele o arquiteto do seu próprio caráter, o modelador da sua vida e o criador do seu destino.

Ao seguir esse caminho e nenhum outro, cada pessoa irá ao encontro da lei absoluta segundo a qual "aquele que pede, recebe; aquele que procura, encontra; e a quem bate, a porta se abrirá". Somente com paciência, prática e incessante perseverança alguém poderá transpor a porta do templo do conhecimento.

"Aquele que pede, recebe;
aquele que procura, encontra;
e a quem bate, a porta se abrirá".

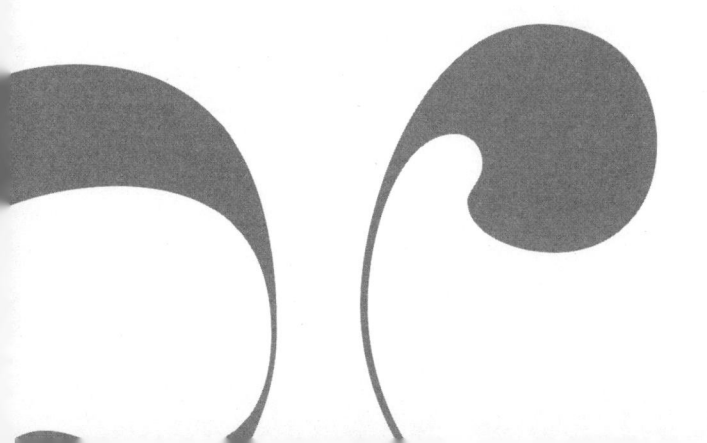

O QUE EU APRENDI *Você é o que pensa* é uma das ferramentas mais valiosas para seu crescimento. Comece a planejar suas metas e objetivos pessoais e profissionais com base nos ensinamentos fundamentais deste capítulo.

O efeito do pensamento sobre as circunstâncias

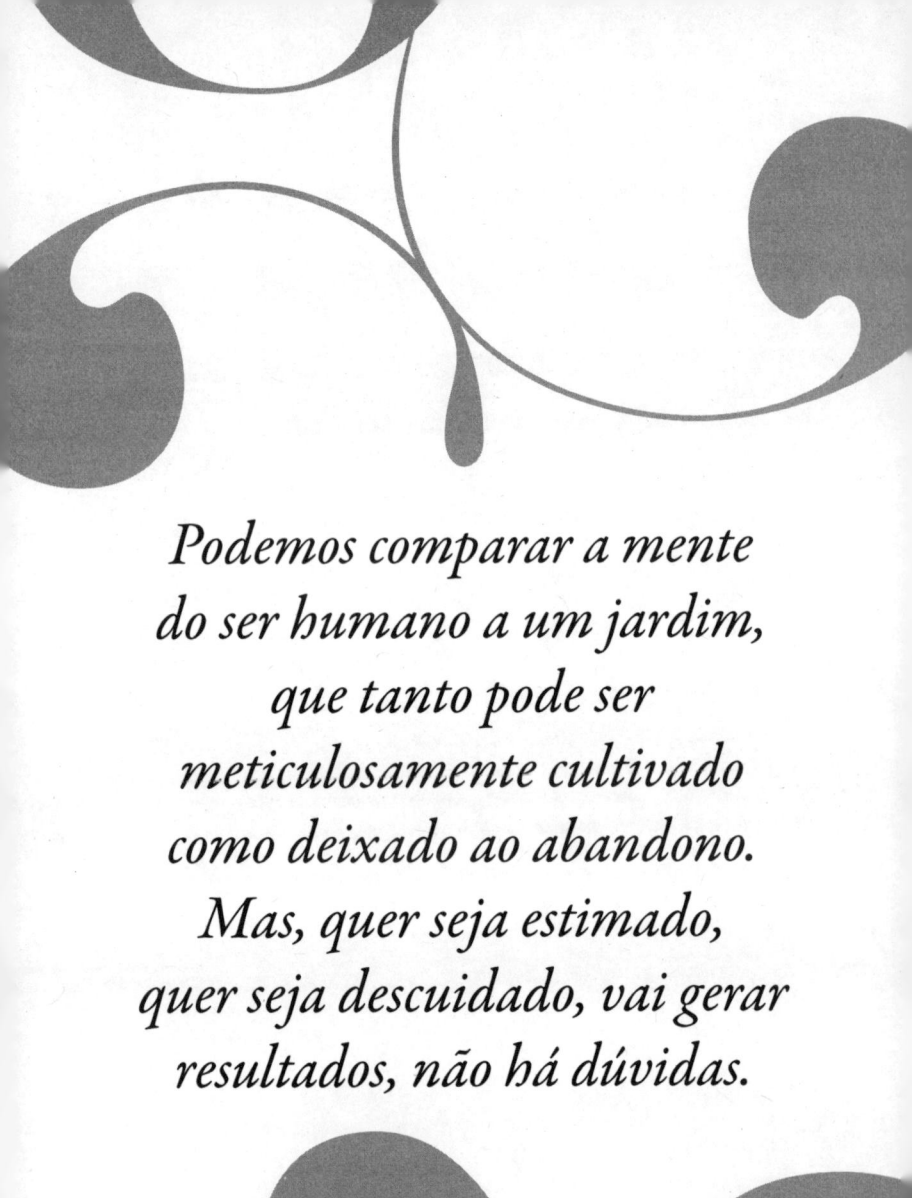

Podemos comparar a mente do ser humano a um jardim, que tanto pode ser meticulosamente cultivado como deixado ao abandono. Mas, quer seja estimado, quer seja descuidado, vai gerar resultados, não há dúvidas.

Podemos comparar a mente do ser humano a um jardim, que tanto pode ser meticulosamente cultivado como deixado ao abandono. Mas, quer seja, quer seja descuidado, vai *gerar* resultados, não há dúvidas. Se não forem *lançadas à terra* sementes boas, as ervas daninhas o tomarão e continuarão a multiplicar-se.

Tal qual um jardineiro cultiva a sua terra, mantendo-a livre de ervas daninhas e plantando os frutos e as flores de que precisa, também o ser humano pode e deve cuidar do jardim, que é a sua mente. Para isso, deve arrancar os pensamentos maus, desnecessários e impuros, e, em seu lugar, cultivar as flores e os frutos dos pensamentos bons, proveitosos e impolutos, na busca da perfeição. Por essa via, o Homem acabará, mais cedo ou mais tarde, por descobrir que é o jardineiro-mestre da sua alma, o diretor da sua vida. E dentro de si estará, igualmente, a descobrir as leis do pensamento, compreendendo cada vez com maior precisão até que ponto as forças do pensamento e os elementos mentais operam em sintonia na formação do seu caráter, das circunstâncias e do destino.

Pensamento e caráter são a mesma coisa. Uma vez que só se consegue manifestar e descobrir o caráter por intermédio do ambiente e das circunstâncias, as condições exteriores da vida de uma pessoa estarão sempre harmoniosamente relacionadas com o seu estado interior. Isso não significa que as circunstâncias da vida de uma pessoa, a determinada altura da sua existência, sejam reveladoras do seu caráter — evidencia apenas que essas circunstâncias se encontram tão intimamente ligadas a um fator qualquer do pensamento fundamental que, naquele preciso momento, são indispensáveis ao seu desenvolvimento.

Todo ser humano está onde está pelas leis do próprio ser. Foram os pensamentos que inculcou ao seu caráter que o levaram ao ponto em que se encontra, e na forma como a sua vida está organizada não existe qualquer elemento de casualidade — é tudo resultado de uma lei que não falha. E isso se manifesta tão verdadeiro para aqueles que se sentem "em desarmonia" com o meio que os rodeia quanto para os que vivem satisfeitos com este.

Como ser evolutivo e em constante desenvolvimento, o Homem está onde está para que consiga aperceber-se de que pode crescer. E, à medida que aprende a lição espiritual que cada circunstância de vida lhe transmite, ela passa e dá lugar a uma nova conjuntura. Enquanto acreditar ser fruto das circunstâncias externas, o Homem será sempre fustigado por elas. Contudo, ao ver-se como um *poder criativo*, que permite controlar o solo e as sementes ocultas do seu ser — que é de onde *verdadeiramente* germinam as circunstâncias —, aí, sim, torna-se dono e senhor legítimo de si mesmo.

*Enquanto acreditar
ser fruto das circunstâncias
externas, o Homem será sempre
fustigado por elas.*

As circunstâncias nascem do pensamento. Qualquer Homem que, a determinada altura da vida, tenha exercitado o autocontrole e a autopurificação sabe disso, pois com certeza haverá percebido que as circunstâncias se alteraram na exata proporção do seu novo estado mental. E tal cenário é tão verdadeiro que, quando o ser humano se dedica de fato a corrigir os seus defeitos de caráter, transformando-se e evoluindo positivamente, passa depressa por uma série de contratempos.

A alma atrai aquilo que secretamente acolhe — tanto o que ama como o que teme —, atinge o auge das suas maiores ambições, desce ao nível dos seus desejos mais impuros. As circunstâncias são os meios pelos quais a alma recebe aquilo que é dela.

Todo *pensamento semeado* ou que deixemos cair na mente e lá se enraizar, mais tarde ou mais cedo, florescerá numa ação que vai gerar os próprios frutos de oportunidade e de contexto. Bons pensamentos geram bons frutos, maus pensamentos geram maus frutos.

O mundo exterior das circunstâncias molda-se ao mundo interior do pensamento, e as condições externas, tanto as aprazíveis como as desagradáveis, são fatores que contribuem para o bem-estar final do indivíduo. Enquanto ceifeiro da própria colheita, o ser humano aprende quer pelo sofrimento, quer pela alegria.

Ao ir em busca dos seus desejos, aspirações e pensamentos mais íntimos, pelos quais se permite dominar (perseguindo ilusões passageiras ou trilhando firme e persistentemente o caminho do mais forte empenho), o ser humano consegue enfim atingi-los e concretizá-los por completo. Sempre, e em todo lado, serão cumpridas as leis do crescimento e da adaptação.

O Homem não vai parar no asilo ou na prisão pela tirania do destino ou das circunstâncias, mas, sim, por seus maus pensamentos e desejos primários. Tampouco, o Homem puro cai no mundo do crime pela mão de qualquer força exterior — o pensamento criminoso há muito vinha sendo alimentado secretamente no seu coração, e a oportunidade veio apenas expor o poder armazenado. As circunstâncias não fazem o Homem, revelam-no a si próprio. Não existem condições para cair no vício e no sofrimento dele resultante, mas inclinações viciosas. Do mesmo modo, ninguém alcança a virtude — e a felicidade que esta acarreta — sem cultivar constantemente aspirações virtuosas. Assim, o Homem, enquanto dono e senhor do seu pensamento, é criador de si mesmo, autor e modelador de tudo o que o rodeia. A alma desnuda-se logo no nascimento, e a cada passo da peregrinação terrena atrai conjuntos de condições que a descobrem e que são os reflexos da própria pureza e impureza, da sua força e da sua fraqueza.

As pessoas não atraem
aquilo que querem, mas sim
aquilo que são.

As pessoas não atraem aquilo que *querem*, mas sim aquilo que são. Os seus caprichos, fantasias e ambições são contrariados a cada passo, mas os seus pensamentos e desejos mais profundos são nutridos pelo seu próprio alimento, seja limpo ou imundo. A "divindade que forja os nossos destinos" está dentro de nós, é o nosso próprio eu. É o Homem que se algema a si próprio. Os atos e pensamentos são carrascos do Destino: aprisionam se forem desprezíveis. Portanto, são anjos da Liberdade: libertam se forem nobres. O Homem não recebe na justa medida daquilo que deseja ou que pede, mas, sim, por aquilo que justamente merece. Os seus desejos e preces são atendidos somente quando em harmonia com os seus pensamentos e ações.

De acordo com essa verdade, o que quer dizer "lutar contra as circunstâncias"? Significa que o Homem vive sempre revoltado contra um *efeito*, enquanto vai nutrindo e preservando no coração a sua causa. Essa causa pode assumir a forma de um vício consciente ou de uma fraqueza inconsciente. Mas, seja de que maneira for, retarda obstinadamente os esforços do seu detentor e, assim, clama por uma solução.

As pessoas anseiam por melhorar as suas condições de vida, mas não estão dispostas a melhorar a si mesmas — e, dessa forma, mantêm-se prisioneiras. Aquele que não se afasta da autocrucificação nunca deixará de concretizar o objetivo no qual o seu coração está fixado. Isso é tão verdade para as coisas terrenas quanto para as coisas divinas. Mesmo o Homem cujo único propósito é obter riqueza tem de estar preparado para fazer grandes sacrifícios pessoais antes de alcançar essa meta. Quanto mais terá de sacrificar aquele que deseja alcançar uma vida sólida e estável?

Tomemos como exemplo uma pessoa extremamente pobre. Vive numa enorme ansiedade para melhorar as suas condições de vida e o conforto do lar, mas está sempre faltando ao trabalho e considera justo tentar enganar o patrão, justificando-se pelo fato de receber um salário baixo e insuficiente. Essa pessoa não entende os fundamentos mais simples da prosperidade, e não só se encontra totalmente incapaz de sair da sua desgraça, como está, na realidade, atraindo para si uma miséria ainda mais profunda, alimentando e agindo de acordo com pensamentos ociosos, desonestos e covardes.

Vejamos agora uma pessoa rica, vítima de uma doença crônica e dolorosa provocada pela gula. Está disposta a despender grandes quantias de dinheiro para se ver livre da doença, mas não a sacrificar a satisfação da gula. Deseja satisfazer o desejo por iguarias requintadas e prejudiciais e, ao mesmo tempo, manter a saúde. Essa pessoa fica absolutamente incapacitada de ser saudável, pois até agora não aprendeu os princípios de uma vida salutar.

Mais um exemplo: um patrão, empregador de mão de obra, alguém que adota medidas sinuosas e desonestas para evitar o pagamento de ordenados justos e, na esperança de obter grandes lucros, ainda os reduz. Alguém com tais características está totalmente desqualificado para alcançar a prosperidade, e quando se vir em falência — tanto no que toca à sua reputação como à sua riqueza — culpará as circunstâncias, sem se aperceber de que é o único responsável pela situação em que se acha.

Apresentei esses três casos apenas para ilustrar a verdade de que o ser humano é o responsável (embora quase sempre de forma inconsciente) pelas circunstâncias em que se encontra. Por isso, mesmo quando ambiciona um bom resultado, está sempre frustrando a sua realização pessoal, por encorajar pensamentos e desejos que não são possíveis de harmonizar com essa meta. Esses casos poderiam ser multiplicados e diversificados quase indefinidamente, mas não é necessário, já que é possível, se assim o entender, acompanhar na sua mente e na sua vida a ação das leis do pensamento — e, até que esse processo esteja concluído, meros fatores externos não servem de base de raciocínio.

Contudo, as circunstâncias são tão complicadas, o pensamento está tão profundamente enraizado e as condições de felicidade variam tanto de indivíduo para indivíduo que o estado de alma de alguém (embora possa ser conhecido por ele próprio) não pode ser julgado por outra pessoa apenas do ponto de vista das condições externas da sua vida. Uma pessoa pode ser honesta em determinados aspectos e, no entanto, sofrer privações; outra pode ser desonesta em diversos sentidos e, ainda assim, conquistar riqueza. Mas a conclusão à qual se costuma chegar — de que uma pessoa fracassa em razão de sua particular honestidade e de que outra prospera por ser particularmente desonesta — é resultado de um julgamento superficial segundo o qual alguém desonesto é quase corrupto por completo e alguém honesto quase virtuoso por inteiro. Com base em um conhecimento mais profundo e de uma experiência mais ampla, verifica-se que esse julgamento é errado. A pessoa desonesta pode ter algumas virtudes admiráveis que a outra não cultiva e a pessoa honesta pode ter vícios detestáveis que a outra não apresenta. A pessoa honesta colhe os bons resultados dos seus atos e pensamentos honestos, mas também atrai para si sofrimentos causados pelos seus vícios. Da mesma forma, a pessoa desonesta colhe tanto o seu sofrimento como a sua felicidade.

*Uma pessoa pode ser honesta
em determinados aspectos e,
no entanto, sofrer privações;
outra pode ser desonesta (...) e,
ainda assim, conquistar riqueza.*

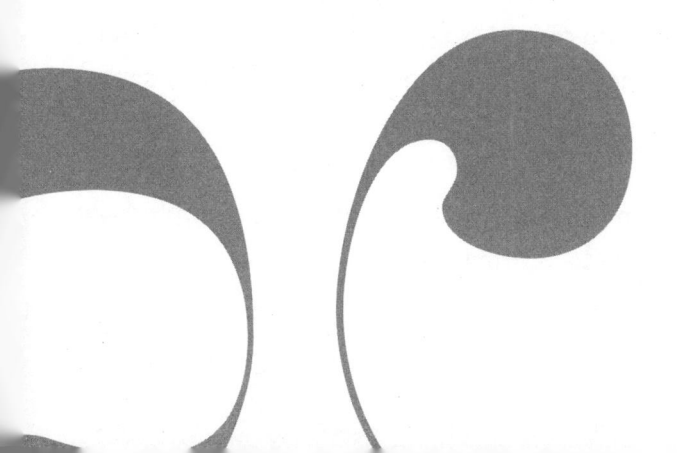

Para a vaidade humana, é agradável acreditar que as pessoas sofrem em consequência das próprias virtudes. Mas, enquanto o Homem não tiver arrancado da mente todos os pensamentos doentios, amargos e impuros e não tiver lavado da alma todas as máculas do pecado, não estará em posição de saber e afirmar que as dores resultam das suas boas características e não das más. E, nessa caminhada, muito antes de alcançar a perfeição suprema, vai encontrar a grande lei, que é absolutamente justa e que, por isso mesmo, não dará o bem pelo mal e o mal pelo bem. Na posse de tal conhecimento — ao olhar para trás, para a sua ignorância e cegueira —, saberá que a vida é, e sempre foi, uma ordem justa, e que todas as suas experiências passadas, boas e más, foram resultado equitativo do seu eu não evoluído, mas ainda em processo de evolução.

Bons pensamentos e ações jamais produzirão maus resultados; maus pensamentos e ações jamais produzirão bons resultados. Isso é o mesmo que dizer que do trigo só poderá nascer trigo e do joio só nascerá joio. O ser humano percebe essa lei na natureza e atua de acordo com ela, mas poucos a compreendem no campo espiritual e moral (embora aqui o seu funcionamento seja tão simples e incontornável quanto) e, desse modo, não cooperam com ela.

O sofrimento é *sempre* o efeito do pensamento errado em algum sentido. É uma indicação de que o indivíduo está em desarmonia consigo mesmo, com a lei do seu ser.

O único e supremo propósito do sofrimento é purificar, queimar tudo o que é dispensável e impuro. O sofrimento cessa para aquele que é puro. Não faria qualquer sentido levar o ouro ao fogo depois de as impurezas terem sido eliminadas.

As circunstâncias com que um ser humano se depara no sofrimento são fruto da desarmonia da sua mente. As circunstâncias que encontra na bem-aventurança são consequência da sua harmonia mental. A bem-aventurança, não a posse de bens materiais, resulta do pensamento correto; a miséria e a infelicidade, não a falta de bens materiais, são resultado do pensamento errado. Uma pessoa pode ser amaldiçoada e rica, tal como pode ser abençoada, mas pobre. Bem-aventurança e riqueza só se juntam quando os bens materiais são sábia e corretamente usados — alguém pobre só desce à miséria quando encara a sua sorte como um fardo que lhe foi imposto de maneira injusta.

Indigência e indulgência são os dois extremos da infelicidade. Ambos são igualmente antinaturais e efeito de uma desordem mental. Ninguém estará bem preparado enquanto não for um ser feliz, saudável e próspero. A felicidade, a saúde e a prosperidade são o resultado de um ajuste harmonioso do interior com o exterior, do Homem com o ambiente que o rodeia.

A felicidade, a saúde
e a prosperidade são o resultado
de um ajuste harmonioso do
interior com o exterior,
do Homem com o ambiente
que o rodeia.

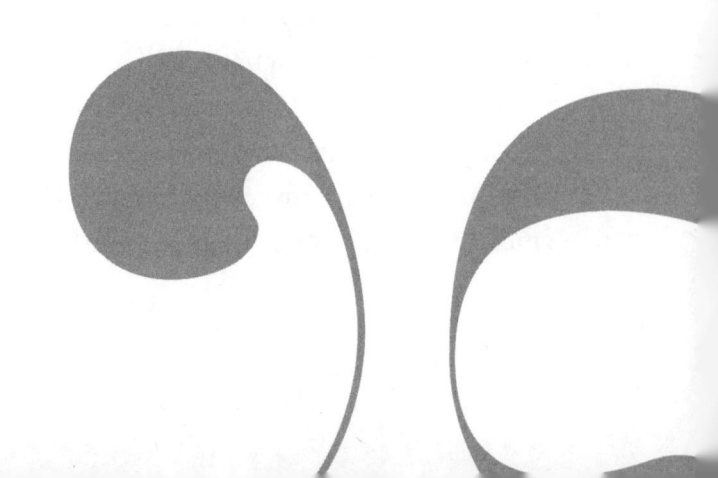

Uma pessoa só começa a ser alguém quando deixa de se lamentar e culpabilizar e passa a procurar a justiça oculta que regula a vida. E, à medida que adapta a mente a esse fator regulador, deixa de culpar os outros pela sua condição e ergue-se sobre pensamentos fortes e nobres; deixa de se rebelar contra as circunstâncias e começa a *usá-las* como recursos para alcançar um progresso mais rápido e como um meio para descobrir dentro de si própria forças e capacidades escondidas.

A lei, não o caos, é o princípio que domina o universo. A justiça, não a injustiça, é a alma e a substância da vida. E a honestidade, não a corrupção, é a força que molda e impulsiona o governo espiritual do mundo. Assim, o ser humano tem apenas de se corrigir para descobrir que o universo está certo. Durante esse processo de correção, descobrirá que, à medida que altera os seus pensamentos em relação às coisas e aos outros, as coisas e os outros vão também alterar-se em relação a si.

A prova dessa verdade reside dentro de cada pessoa, e isso pode ser facilmente verificado pela introspeção sistemática e de autoanálise. Se alguém alterar radicalmente os seus pensamentos, ficará espantado com a rápida transformação que ocorrerá nas condições materiais da sua vida. O ser humano crê que o pensamento pode ser mantido em segredo, mas não pode. O pensamento cristaliza-se rapidamente num hábito e o hábito torna-se circunstâncias. Pensamentos grosseiros cristalizam-se em hábitos de embriaguez e luxúria, que se tornam circunstâncias miseráveis, infelizes e de doença; pensamentos impuros, de qualquer espécie, cristalizam-se em hábitos desgastantes e confusos, que se tornam circunstâncias perturbadoras e adversas; pensamentos medrosos, duvidosos e vacilantes cristalizam-se em hábitos fracos, covardes e irresolutos, que se tornam circunstâncias de fracasso, indigência e dependência; pensamentos preguiçosos cristalizam-se em hábitos sujos e desonestos, que se tornam circunstâncias de imundice e miséria; pensamentos odiosos e reprovadores cristalizam-se em hábitos de acusação e violência, que se tornam circunstâncias de injúria e perseguição; pensamentos egoístas, de todos os tipos, cristalizam-se em hábitos egocêntricos, que se tornam circunstâncias mais ou menos angustiantes. Por outro lado, pensamentos bons, de todos os tipos, cristalizam-se em hábitos graciosos e bondosos, que se tornam circunstâncias felizes e positivas; pensamentos puros cristalizam-se em hábitos de temperança e autocontrole, que se tornam circunstâncias de tranquilidade e paz; pensamentos corajosos, autoconfiantes e determinados cristalizam-se em hábitos virtuosos, que se tornam circunstâncias de sucesso, abundância e liberdade; pensamentos enérgicos cristalizam-se em hábitos decididos e proativos, que se tornam circunstâncias de satisfação.

*Se alguém alterar radicalmente
os seus pensamentos,
ficará espantado com a rápida
transformação que ocorrerá
nas condições materiais
da sua vida.*

Pensamentos amáveis e de perdão cristalizam-se em hábitos gentis, que se tornam circunstâncias de proteção e preservação. Pensamentos de amor e altruístas cristalizam-se em hábitos que acabam nos fazendo esquecer de nós mesmos em prol dos outros, que se tornam circunstâncias de prosperidade garantida e permanente, além de verdadeira riqueza.

A persistência em determinada linha de pensamento, boa ou má, não pode deixar de produzir resultados sobre o caráter e as circunstâncias. Uma pessoa não pode escolher *diretamente* as circunstâncias da vida, mas pode escolher os seus pensamentos e, assim, indireta, mas de modo seguro, moldar as suas circunstâncias.

A natureza ajuda cada pessoa a concretizar os pensamentos que mais estimula, oferecendo-lhe oportunidades que muito rapidamente trarão à superfície tanto os bons como os maus pensamentos.

Se uma pessoa deixar de ter pensamentos desprezíveis, o mundo inteiro passará a ser gentil com ela e estará pronto para a ajudar; se abandonar os pensamentos fracos e doentios, de todos os lados surgirão, surpreendentemente, oportunidades para a ajudar a concretizar as suas firmes resoluções; se encorajar os bons pensamentos, nenhum vil destino a prenderá à miséria e à vergonha.

O mundo é o seu caleidoscópio, e as variadas combinações de cores — que lhe são apresentadas sucessivamente a cada momento — são as imagens ajustadas com primor dos seus pensamentos em permanente movimento.

Então, será aquilo que desejar ser;
Deixe o fracasso encontrar a sua pobre condição
Nessa palavra estéril, "situação",
Mas que o espírito despreza, é livre de viver.

Domine o tempo, há o espaço a atingir;
Iluda a Sorte, essa prepotente impostora,
E ordene à Circunstância opressora
Que desça do trono e passe a servir.

A Vontade humana, essa força invisível,
Que da Alma imortal descende em linha reta,
Pode abrir caminho a qualquer meta,
Ainda que surja um muro que pareça intransponível.

Não se impaciente quando tiver de esperar
Mas aguarde como alguém que sabe compreender;
Quando o espírito se ergue e passa a comandar
Os deuses estão prontos para obedecer.

O QUE EU APRENDI *Você é o que pensa* é uma das ferramentas mais valiosas para seu crescimento. Comece a planejar suas metas e objetivos pessoais e profissionais com base nos ensinamentos fundamentais deste capítulo.

_____

_____

_____

_____

_____

_____

_____

_____

_____

_____

_____

_____

_____

_____

_____

_____

_____

_____

_____

_____

_____

_____

_____

_____

O efeito do pensamento na saúde e no corpo

*O corpo é o servo da mente.
Obedece às suas ordens,
quer sejam deliberadamente
escolhidas, quer sejam expressas
de forma automática.*

O corpo é o servo da mente. Obedece às suas ordens, quer sejam deliberadamente escolhidas, quer sejam expressas de forma automática. Sob o comando de pensamentos impróprios, o corpo logo se afunda em doença e decadência; sob o comando de pensamentos belos e felizes, veste-se de juventude e beleza.

Doença e saúde, tais como as circunstâncias, têm as suas raízes no pensamento. Pensamentos doentios vão expressar-se em um corpo doente. Pensamentos medrosos, como se sabe, matam uma pessoa com a rapidez de uma bala — e estas continuam a matar milhares de pessoas, embora com menos rapidez. As pessoas que vivem com medo da doença são aquelas que a contraem. A ansiedade enfraquece rapidamente todo o corpo, deixando-o vulnerável ao aparecimento de doenças. Já os pensamentos impuros, mesmo que não sejam satisfeitos em termos físicos destroem depressa o sistema nervoso.

Pensamentos firmes, puros e felizes dão ao corpo vigor e graça. O corpo é um instrumento delicado e moldável, que responde prontamente aos pensamentos que o impressionam, e os hábitos mentais produzirão sobre ele os seus efeitos, tanto bons quanto maus.

O ser humano continuará a ter sangue impuro e tóxico enquanto propagar pensamentos impuros. De um coração puro emerge um corpo puro e uma vida puros. De uma mente contaminada surge uma vida corrupta e um corpo pervertido. O pensamento é fonte de ação, vida e expressão: purifica essa nascente e tudo o resto será puro.

Uma mudança na dieta não ajudará quem não altera os pensamentos. Mas quando tornamos puros os pensamentos, não voltamos a desejar alimentos impuros.

Se quer proteger o seu corpo, preserve a sua mente. Se pretende rejuvenescer o seu corpo, embeleza a sua mente. Pensamentos maliciosos, invejosos, desapontados e desanimados roubam do corpo toda a sua saúde e graça. Um rosto amargurado e zangado não é fruto do acaso, é produto de pensamentos amargos. Rugas que desfiguram são causadas por insensatez, furor e soberba.

Conheço uma mulher de 96 anos que tem o rosto luminoso e inocente de uma menina. E conheço um homem bem abaixo da meia-idade cuja face está marcada por contornos desarmoniosos. Um é resultado de um temperamento doce e otimista, o outro é fruto da raiva e do descontentamento.

Assim como não podemos manter uma casa fresca e saudável se não deixarmos entrar livremente nos nossos quartos o ar e a luz do sol, também um corpo forte e um semblante luminoso, feliz ou tranquilo apenas pode resultar de uma mente aberta a pensamentos de alegria, boa vontade e serenidade.

Nos rostos dos idosos vemos rugas deixadas pela generosidade, outras por um pensamento firme e puro, e outras ainda que foram esculpidas pelo sofrimento: quem não as distinguiria? Para aqueles que viveram uma vida de retidão, a velhice é calma, tranquila e suavemente amadurecida, como um pôr do sol. Há pouco tempo, vi um filósofo no seu leito de morte. Não era velho, apesar dos muitos anos. Morreu de forma tão suave e tranquila como havia vivido.

Não existe melhor médico para afastar os males do corpo do que um pensamento alegre. Para dispersar as sombras da dor e da tristeza, não há consolo que se compare à benevolência. Uma mente que vive dominada por pensamentos de má vontade, cínicos, desconfiados e invejosos está destinada à profundeza de uma prisão construída por si própria. Mas pensar bem de todos, ser amável com todos e aprender pacientemente a ver o bem em tudo — pensamentos altruístas — são as verdadeiras portas do céu. Alimentar dia a dia pensamentos pacíficos para com todas as criaturas trará paz em abundância para quem o fizer.

O QUE EU APRENDI

Você é o que pensa é uma das ferramentas mais valiosas para seu crescimento. Comece a planejar suas metas e objetivos pessoais e profissionais com base nos ensinamentos fundamentais deste capítulo.

_____

_____

_____

_____

_____

_____

_____

_____

_____

_____

_____

_____

_____

_____

_____

_____

_____

_____

_____

_____

_____

_____

_____

_____

Pensamento
e
propósito

*O Homem deve conceber
no seu coração um objetivo
legítimo e partir ao seu alcance.
Deve fazer desse objetivo o ponto
central dos seus pensamentos.*

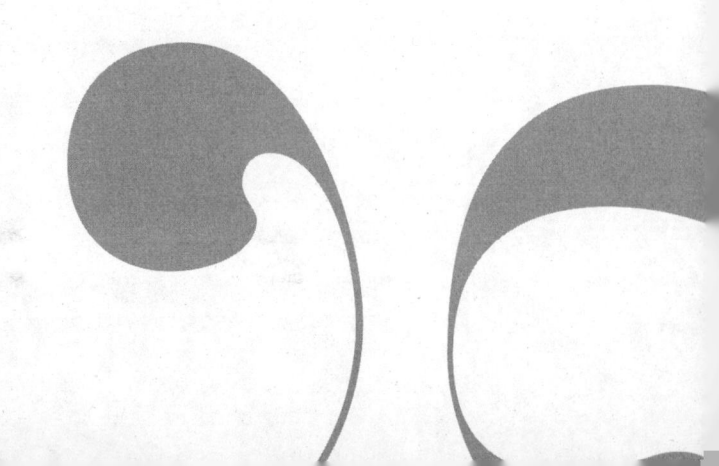

Enquanto o pensamento não estiver relacionado com um propósito, não haverá realização inteligente. A maioria das pessoas deixa que o barco do pensamento flutue "à deriva" no oceano da vida. A ausência de propósito é um vício, e esse deambular não pode manter-se para aqueles que querem afastar-se da catástrofe e da ruína.

Aqueles que não têm um propósito central na vida tornam-se presas fáceis de preocupações mesquinhas, medos, problemas e autocomiseração, todos eles sinais de fraqueza que, tal como os pecados deliberadamente planejados (embora por uma via diferente), conduzem ao fracasso, à infelicidade e à perda, pois a fraqueza não pode perseverar num universo movido pela energia.

O Homem deve conceber no seu coração um objetivo legítimo e partir ao seu alcance. Deve fazer desse objetivo o ponto central dos seus pensamentos. Pode tomar a forma de um ideal espiritual ou pode ser um objeto terreno, de acordo com a sua natureza nesse momento. Mas, seja o que for, deverá concentrar com firmeza a sua força mental no objetivo a que se propôs. Deverá fazer desse propósito o seu dever supremo e deve dedicar-se à sua realização, não permitindo que os seus pensamentos se desviem para fantasias efêmeras, desejos e imaginações. Essa é a estrada real para o autocontrole e o verdadeiro foco mental. Mesmo que falhe uma ou outra vez na realização do seu propósito (como necessariamente acontecerá até a fraqueza ser superada), a *força de caráter adquirida* será a medida do *seu verdadeiro* sucesso, criando um ponto de partida para o seu poder e triunfo futuros.

Aqueles que não estão preparados para apreender um propósito maior devem focar os seus pensamentos no desempenho irrepreensível do seu dever, independentemente de quão insignificante a sua tarefa possa parecer. Só assim será possível reunir e concentrar os pensamentos, bem como desenvolver a firmeza e a energia — caso o consiga, não haverá nada impossível de atingir.

A alma mais fraca, reconhecendo a própria fraqueza e acreditando nesta verdade *de que a força só pode ser desenvolvida com esforço e prática*, vai então empenhar-se, adicionando esforço ao esforço, paciência à paciência e força à força; nunca deixará de se desenvolver e, por fim, crescerá divinamente poderosa.

Da mesma forma que alguém com o físico fraco pode tornar-se forte com um treino cuidadoso e paciente, também alguém de fracos pensamentos pode torná-los se exercitar o correto pensar.

Repudiar a falta de objetivos e a fraqueza e começar a pensar com um firme propósito significa enveredar nas fileiras dos mais fortes, daqueles que apenas veem no fracasso um caminho para o sucesso, que se adaptam a qualquer situação, que pensam de forma poderosa, que arriscam sem medos e que atingem os objetivos com maestria.

Uma vez definido o nosso propósito, devemos traçar em mente um caminho *direto* para o alcançar, não desviando o olhar nem para a direita nem para a esquerda. Dúvidas e medos deverão ser rigorosamente excluídos. São elementos desintegradores que quebram a linha reta do esforço, tornando-a sinuosa, ineficaz e dispensável. Pensamentos duvidosos e covardes nunca alcançaram coisa alguma, nem poderiam. Conduzem sempre ao fracasso. Propósito, energia, poder de realização e pensamentos firmes cessam quando a dúvida e o medo se instalam.

A vontade de realização nasce da noção daquilo que *conseguimos* fazer. A dúvida e o medo são os maiores inimigos do conhecimento, e quem os estimula, quem não os destrói, frustra-se a cada passo.

Aquele que conquistar a dúvida e o medo terá derrotado o fracasso. Cada pensamento dessa pessoa é um poderoso aliado, e todas as dificuldades são corajosamente enfrentadas e sabiamente superadas. Os seus propósitos são plantados no tempo certo, florescendo e dando frutos que não caem por terra antes do tempo.

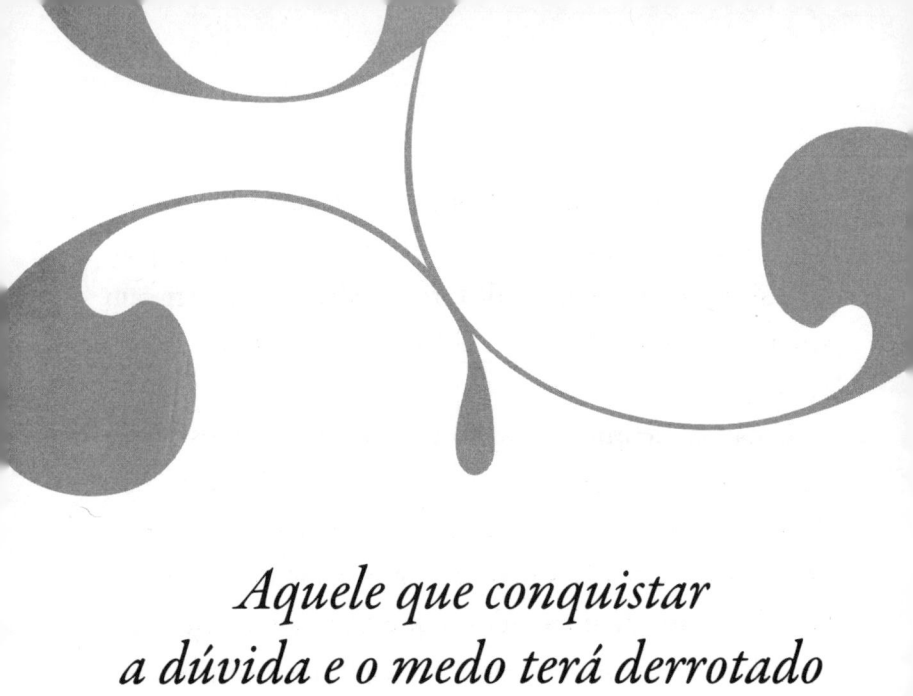

*Aquele que conquistar
a dúvida e o medo terá derrotado
o fracasso. Cada pensamento dessa
pessoa é um poderoso aliado,
e todas as dificuldades são
corajosamente enfrentadas e
sabiamente superadas.*

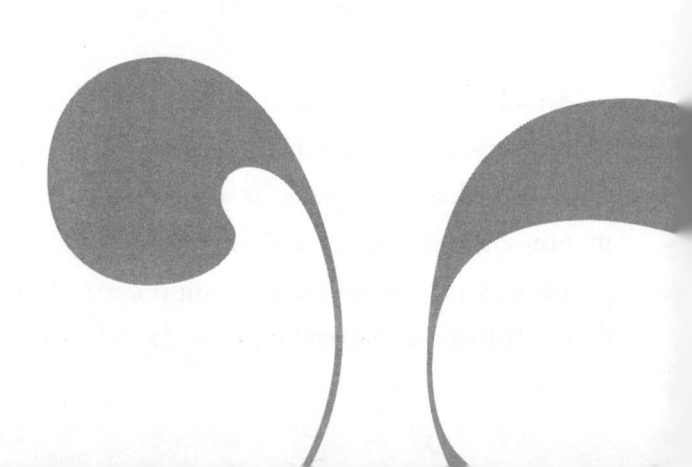

O pensamento destemido aliado a um propósito transforma-se em força criativa: aquele que sabe disso está pronto para se transformar em algo superior e mais poderoso do que um mero conjunto de pensamentos vacilantes e sensações irresolutas. Aquele que o *faz* torna-se o detentor consciente e inteligente dos seus poderes mentais.

O QUE EU APRENDI

Você é o que pensa é uma das ferramentas mais valiosas para seu crescimento. Comece a planejar suas metas e objetivos pessoais e profissionais com base nos ensinamentos fundamentais deste capítulo.

_____

_____

_____

_____

_____

_____

_____

_____

_____

_____

_____

_____

_____

_____

_____

_____

_____

_____

_____

_____

_____

_____

_____

_____

_____

_____

_____

_____

A importância do pensamento na concretização de objetivos

Uma pessoa forte não consegue ajudar alguém mais fraco, a menos que o fraco deseje ser ajudado. Ainda assim, é o fraco que tem de se tornar forte.

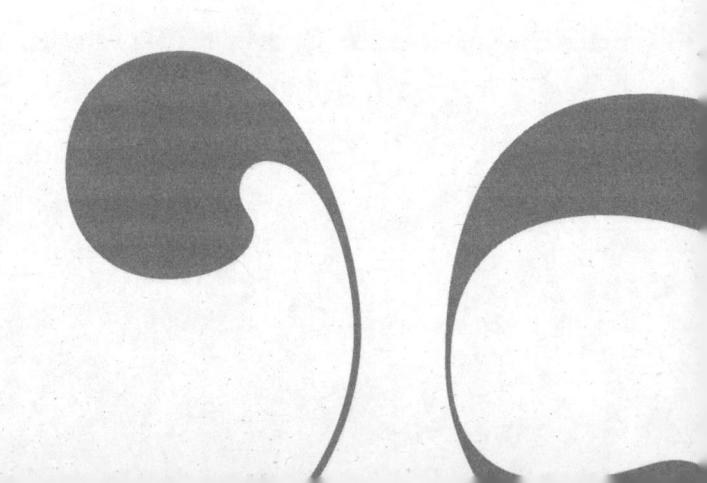

Tudo o que alcançamos e tudo o que não conseguimos alcançar é resultado direto dos nossos pensamentos. Num universo ordenado de maneira justa, onde a perda de equilíbrio significaria destruição total, a responsabilidade individual tem de ser absoluta. A fraqueza e a força de alguém, a pureza ou impureza são do próprio e não de outra pessoa; são provocadas por você e não por outro; e apenas podem ser alteradas por você, e nunca por terceiros. A sua condição também é sua e não de outra pessoa. O seu sofrimento e a sua felicidade desenvolvem-se do seu interior. Aquilo que pensa é aquilo que é; da forma que continuar a pensar, é como vai permanecer.

Uma pessoa forte não consegue ajudar alguém mais fraco, a menos que o fraco *deseje* ser ajudado. Ainda assim, é o fraco que tem de se tornar forte. Deverá desenvolver pelos próprios esforços a força que admira no outro. Ninguém, a não ser ele mesmo, pode alterar a sua condição. É comum dizer e pensar que "muitos são oprimidos porque existe um opressor — odiemos o opressor". Atualmente, porém, há uma crescente tendência para reverter esse tipo de julgamento e afirmar que "alguém é opressor porque muitos são oprimidos — desprezemos os oprimidos".

A verdade é que tanto opressor quanto oprimido participam na ignorância e, embora pareçam atormentar um ao outro, na realidade atormentam a si mesmos.

Um conhecimento perfeito reconhece o efeito da lei na fraqueza do oprimido e no poder erroneamente aplicado do opressor; um amor perfeito, ao ver o sofrimento que ambas as condições acarretam, não condena nenhum deles; uma compaixão perfeita abraça tanto o opressor quanto o oprimido.

Aquele que tiver vencido a fraqueza e afastado todos os pensamentos egoístas não faz parte dos opressores nem dos oprimidos. É livre.

Só conseguimos erguer-nos, ter êxito e ser bem-sucedidos se elevarmos os nossos pensamentos. Apenas permanecerá fraco, desprezível e miserável aquele que se recusar a elevar os pensamentos.

Antes de alcançar o que quer que seja, mesmo no nível material, o Homem tem de elevar os seus pensamentos acima da indulgência animal e subserviente. Contudo, e para ser bem-sucedido, não deverá desistir por completo dos seus instintos primários e do egoísmo natural — mas uma boa parte, pelo menos, deve ser sacrificada. Alguém cujo primeiro pensamento é a satisfação dos desejos primários não conseguirá pensar com clareza nem planejar metodicamente. Não será capaz de identificar nem desenvolver os seus recursos latentes e falhará em qualquer empreendimento. Não tendo começado a controlar

*Não pode haver
progresso nem conquistas
sem sacrifício.*

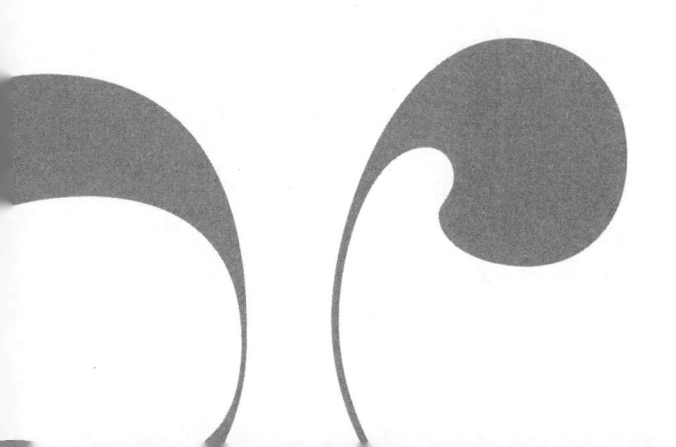

corajosamente os seus pensamentos, não estará em posição de gerir quaisquer assuntos nem adotar responsabilidades sérias. Não está preparado para agir de forma independente para se manter autônomo. Está apenas limitado pelos pensamentos que escolhe.

Não pode haver progresso nem conquistas sem sacrifício. O sucesso terreno de uma pessoa será proporcional ao que ela for capaz de sacrificar dos seus pensamentos instintivos e confusos, e ao quanto ela conseguir focar a mente em prol dos seus planos e em favor das suas resoluções e autoconfiança. Quanto mais elevar os seus pensamentos — quanto mais firmes, corretos e justos eles se tornarem —, maior será o seu sucesso e mais felizes e duradouras as suas conquistas.

O universo não favorece o ganancioso, o desonesto, o perverso, embora efêmera e aparentemente assim possa parecer — ajuda os honestos, os generosos, os magnânimos. Todos os grandes Mestres de todas as eras o proclamaram de diferentes formas, e para conhecer e comprovar essa realidade, basta o Homem persistir em tornar-se cada vez mais virtuoso, pela elevação dos seus pensamentos.

As conquistas intelectuais resultam de um pensamento consagrado à busca do conhecimento, da beleza e da verdade, tanto na vida como na Natureza. Essas conquistas, por vezes, podem surgir associadas à vaidade e à ambição, não sendo fruto dessas características, mas antes o resultado natural de um longo e árduo esforço e de pensamentos puros e altruístas.

As conquistas espirituais são consequência de aspirações sagradas. Aquele que cria de forma constante pensamentos nobres e elevados, que vive em tudo o que é puro e desinteressado, vai — com a mesma certeza com que o sol atinge o seu zênite e a lua a sua plenitude — tornar-se sábio e nobre no caráter, atingindo uma posição de influência e bem-aventurança.

Seja de que tipo for, uma conquista é a coroa do esforço, o diadema do pensamento. Por meio do autocontrole, do desígnio, da pureza, da retidão e do pensamento bem direcionado, o Homem eleva-se; movido pelo animalesco, pela indolência, pela impureza, pela corrupção e pela confusão do pensamento, o Homem sucumbe.

Podemos até atingir o maior sucesso do mundo e chegar aos mais elevados picos do plano espiritual, mas cair de novo na pequenez e na miséria se permitirmos que pensamentos arrogantes, egoístas e corruptos nos dominem.

Só é possível manter as vitórias alcançadas pelo pensamento correto se nos mantivermos vigilantes. Quando o sucesso parece estar assegurado, muitos cedem e voltam a cair rapidamente no fracasso.

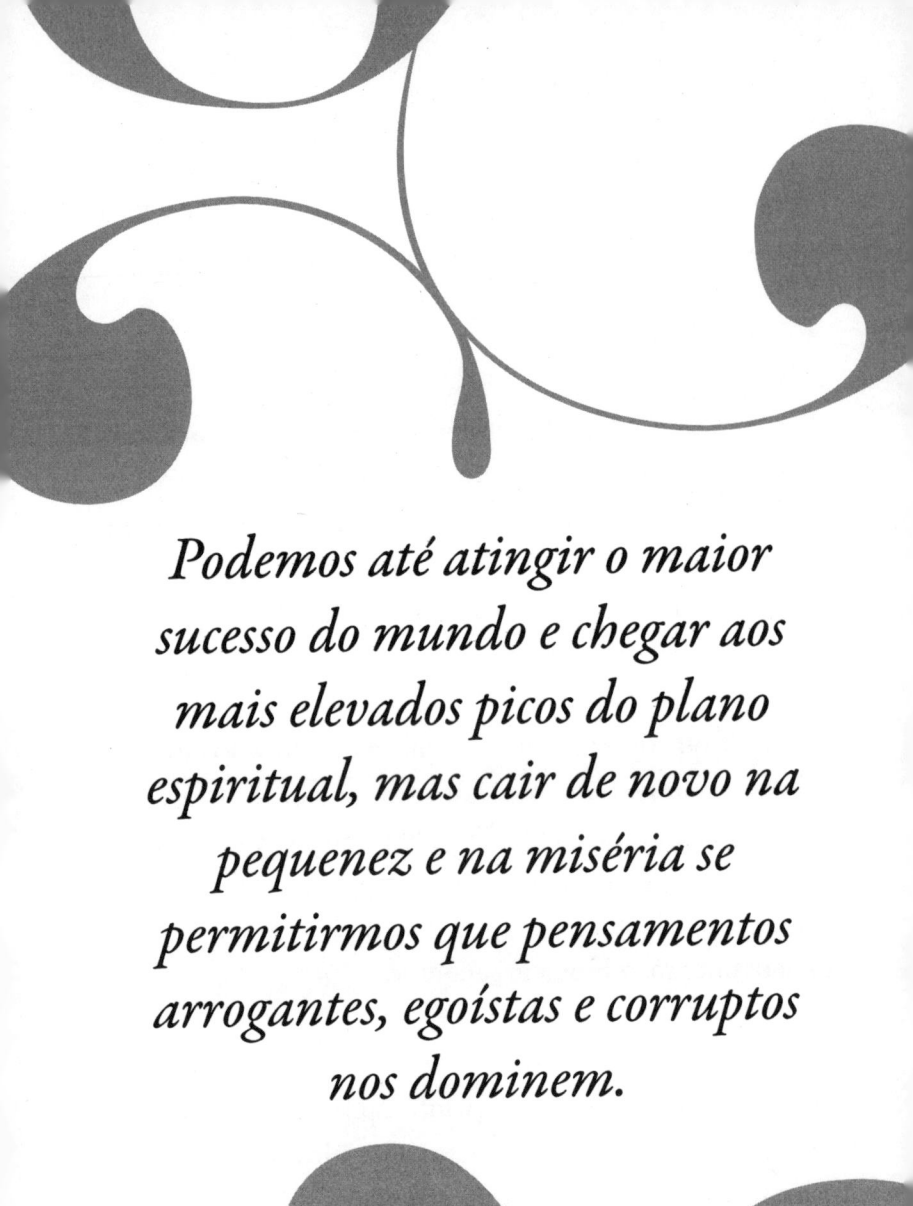

Podemos até atingir o maior sucesso do mundo e chegar aos mais elevados picos do plano espiritual, mas cair de novo na pequenez e na miséria se permitirmos que pensamentos arrogantes, egoístas e corruptos nos dominem.

Todas as conquistas, sejam do mundo dos negócios, sejam do plano intelectual ou do âmbito espiritual, são resultado do pensamento firmemente direcionado, são geridas pela mesma lei e são fruto do mesmo método. A diferença reside no *objetivo que visam realizar*.

Aquele que pouco ambiciona pouco terá de sacrificar; o que muito ambiciona muito terá de sacrificar; aquele que ambiciona a excelência terá de se submeter a enormes sacrifícios.

O QUE EU APRENDI

Você é o que pensa é uma das ferramentas mais valiosas para seu crescimento. Comece a planejar suas metas e objetivos pessoais e profissionais com base nos ensinamentos fundamentais deste capítulo.

Visões e ideais

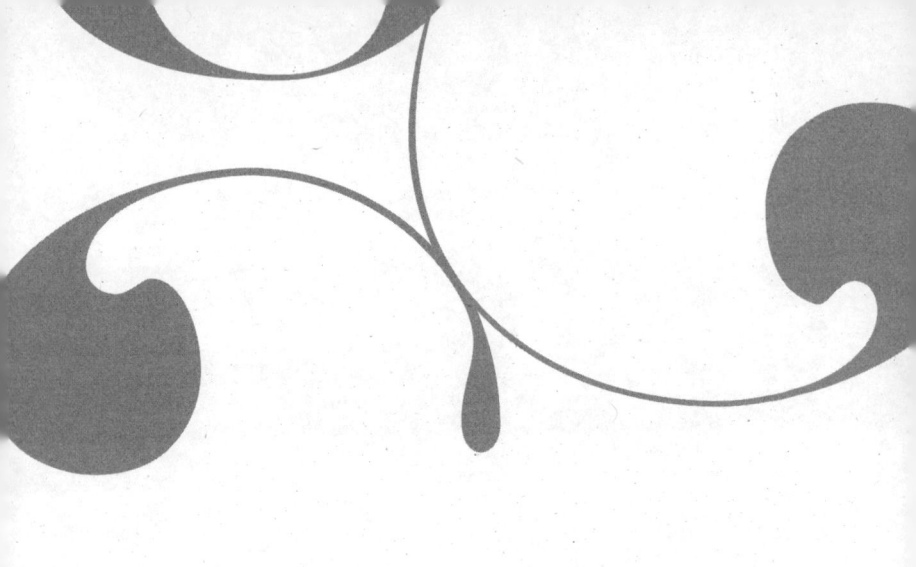

Aquele que acalenta
no seu coração uma visão bela,
um ideal elevado,
um dia vai alcançá-los.

Os sonhadores são os salvadores do mundo. Tal como o mundo visível é sustentado pelo mundo invisível, também o Homem, por intermédio de todas as suas provações, pecados e sórdidas inclinações, é alimentado pelas belas visões dos sonhadores solitários. A Humanidade não pode esquecer os seus sonhadores, não pode permitir que os seus ideais esmoreçam e acabem por morrer — vive segundo esses ideais e reconhece neles a *realidade* que um dia há de ser capaz de ver e conhecer.

Compositor, escultor, pintor, poeta, profeta, sábio: são esses os criadores do novo mundo, os arquitetos do céu. O mundo é maravilhoso porque eles viveram aqui; sem eles, a Humanidade trabalhadora desapareceria.

Aquele que acalenta no seu coração uma visão bela, um ideal elevado, um dia vai alcançá-los. Colombo cultivou uma visão de outro mundo, e o descobriu; Copérnico fomentou a visão de uma multiplicidade de mundos e de um universo mais amplo, e os revelou; Buda contemplou a visão de um mundo espiritual de beleza imaculada e de paz perfeita, e o alcançou.

Alimenta as suas visões. Valoriza os seus ideais. Estima a música que o emociona, o encanto que se gera na sua mente, a beleza que envolve os seus pensamentos mais puros, pois deles nascerão condições maravilhosas, todo um ambiente celestial; daí em diante, se continuar fiel a esses princípios, o seu mundo será finalmente edificado.

Querer é conseguir, aspirar é alcançar. Os desejos mais básicos do Homem devem receber total gratificação, e as mais puras aspirações definhar por falta de sustento? Essa não é a lei, essa ordem das coisas nunca poderá levar ao "pede e receberás".

Sonha grande — aquilo com que sonhar será aquilo em que se transformará. A sua visão é a promessa do que um dia será, o seu ideal é a profecia daquilo que, no final, lhe será revelado.

No início e durante algum tempo, a maior conquista foi um sonho. O carvalho dorme dentro da bolota; a ave espera dentro do ovo; e na mais elevada visão da alma um anjo agita-se ao despertar. Os sonhos são os rebentos das realidades.

As suas circunstâncias de vida podem não ser agradáveis, mas não permanecerão assim por muito tempo se descobrir um ideal e lutar para alcançá-lo. Não pode fazer uma *viagem interna* se *conectado no exterior.*. Imagine um jovem duramente esmagado pela pobreza e pelo trabalho, confinado longas horas a uma oficina insalubre, analfabeto e desprovido de qualquer forma de educação e de requinte. Esse jovem sonha com coisas melhores, pensa em educação e inteligência, requinte, elegância e beleza. Imagina e constrói mentalmente uma condição de vida ideal. A visão de uma liberdade mais ampla e de um maior alcance domina-lhe os pensamentos. A inquietação estimula-o para a ação, e ele usa todo o tempo livre e todos os meios de que dispõe, por menores que sejam, para desenvolver os seus poderes e recursos latentes. A sua mente se modificará de tal maneira que, em pouco tempo, a sombria oficina já não vai retê-lo. De tal forma se terá desarmonizado com a sua mentalidade que abandonará a sua vida, tal qual uma peça de roupa que se despe e se põe de lado. E, perante o surgimento das novas oportunidades, que ocorrerá no âmbito dos seus poderes em expansão, ele a abandonará para sempre. Anos mais tarde, veremos esse jovem transformado num homem adulto e maduro. Vamos encontrá-lo já senhor de certas forças mentais que utiliza de modo influente por todo o mundo, com um poder quase inigualável. Nas suas mãos segura as rédeas de responsabilidades gigantes. Ele fala e, maravilhosamente, vidas transformam-se. Homens e mulheres bebem-lhe as palavras e transformam as suas índoles e, tal como o Sol, ele torna-se o eixo central luminoso em torno do qual giram inúmeros destinos. Concretizou a visão da sua juventude. Fundiu-se com o seu ideal.

E você também, caro leitor, vai concretizar a visão (não o desejo inútil) do seu coração, seja simples, seja grandiosa, ou uma mistura de ambas, pois vai sempre gravitar em direção àquilo que secretamente mais ama. Nas suas mãos serão colocados os exatos resultados dos seus pensamentos. Vai receber exatamente aquilo que merece, nem mais nem menos. Seja qual for o ambiente em que vive, vai cair, manter-se ou erguer-se com os seus pensamentos, a sua visão, o seu ideal. Vai tornar-se tão pequeno quanto o desejo que o controla, tão grandioso quanto a aspiração que o domina. Nas belas palavras de Stanton Kirkham Davis:

> Você pode estar fazendo contas e, em breve, sairá pela porta que por tanto tempo pareceu a você a barreira de seus ideais, e se encontrará diante de uma audiência — a caneta ainda atrás da orelha, as manchas de tinta em seus dedos — e então e ali derramar-se-á a torrente de sua inspiração. Você pode conduzir ovelhas e vagar pela cidade — bucólico e de boca aberta; vagará sob a intrépida orientação do espírito até o estúdio do mestre, e depois de um tempo ele dirá: 'Não tenho mais nada para lhe ensinar.' E agora você se tornou o mestre, que tão recentemente sonhou com grandes coisas ao guiar ovelhas. Você deve largar a serra e a plaina para assumir a regeneração do mundo.

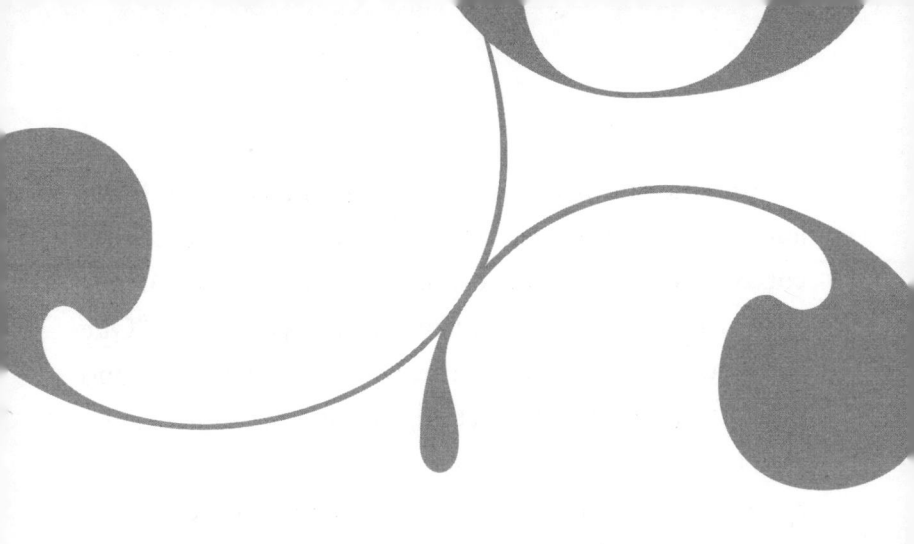

*Nas suas mãos serão
colocados os exatos resultados
dos seus pensamentos.
Vai receber exatamente
aquilo que merece, nem mais
nem menos.*

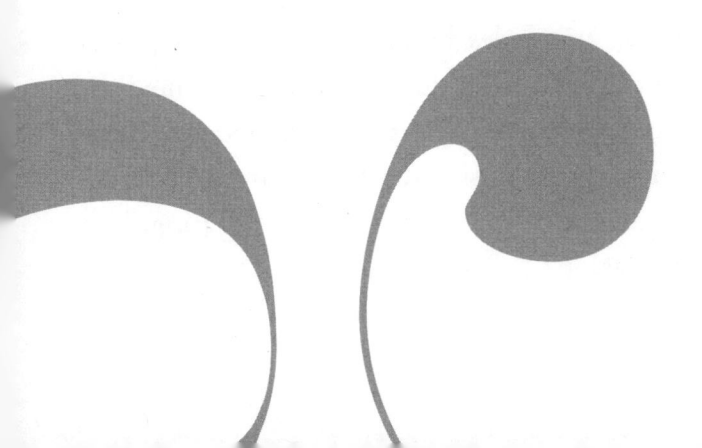

Aqueles que não pensam, os ignorantes e os indolentes, ao vislumbrarem somente os efeitos aparentes das coisas e não as próprias coisas, falam de sorte, de fortuna e de acaso. Ao verem alguém enriquecer, dizem: "Que sorte que ele tem!"; ao verificarem que outro indivíduo se transforma num intelectual, exclamam: "Que privilegiado que ele é!"; e ao notarem o caráter virtuoso de outro e a sua extrema influência, comentam: "Como a sorte o beneficia a toda a hora!". Eles não veem as provações, os fracassos e batalhas que essas pessoas enfrentaram voluntariamente em busca das suas conquistas. Não sabem os sacrifícios que fizeram, os esforços destemidos que levaram a cabo, a fé que exerceram, como conseguiram superar o aparentemente intransponível e realizaram a visão dos seus corações. Eles não conhecem a escuridão e as mágoas: veem apenas a luz e a alegria, e chamam-lhe "sorte". Não veem a longa e árdua jornada, apenas retêm o prazer do objetivo alcançado, e chamam-lhe "boa fortuna". Não entendem o processo, apenas percebem o resultado, e chamam-lhe "acaso".

Em todas as atividades humanas existem esforços e existem resultados, e a intensidade do esforço é a medida do resultado. O acaso não existe. Dons, poderes, bens materiais, intelectuais e espirituais são fruto do esforço — são pensamentos concluídos, objetivos atingidos, visões realizadas.

A visão que glorifica na sua mente, o ideal que acalenta no seu coração: é com isso que construirá a sua vida, é isso que se tornará.

O QUE EU APRENDI

Você é o que pensa é uma das ferramentas mais valiosas para seu crescimento. Comece a planejar suas metas e objetivos pessoais e profissionais com base nos ensinamentos fundamentais deste capítulo.

_____

_____

_____

_____

_____

_____

_____

_____

_____

_____

_____

_____

_____

_____

_____

_____

_____

_____

_____

_____

_____

_____

_____

_____

_____

_____

_____

_____

_____

Serenidade

A pessoa forte e calma
é sempre amada e respeitada.
É como uma árvore que
espalha a sua sombra
numa terra sedenta.

A tranquilidade da mente é uma das mais belas joias da sabedoria. É o resultado de um longo e paciente esforço de autocontrole. A sua presença é um indicador de experiência amadurecida e de um conhecimento para lá do mais comum das leis e dos modos de operar do pensamento.

A pessoa torna-se calma à medida que se vai entendendo a si mesma e se vê como um ser pensante em evolução, pois esse conhecimento exige a compreensão dos outros como resultado do pensamento. E, conforme desenvolve um entendimento correto e vê cada vez mais claramente as relações internas das coisas pela ação de causa e efeito, deixa de se enfurecer, de se preocupar e de se lamentar, e permanece equilibrada, firme e serena.

A pessoa calma, tendo aprendido a governar a si própria, sabe como se adaptar aos outros; e eles, por sua vez, respeitam a sua força espiritual e sentem que podem aprender com ela e nela confiar. Quanto mais tranquilo alguém se torna, maior é o seu sucesso, a sua influência e o seu potencial para o bem. Mesmo o mais comum homem de negócios verá os seus empreendimentos prosperarem à medida que vai desenvolvendo um maior autocontrole e serenidade, pois as pessoas vão sempre preferir lidar com alguém cujo comportamento é forte e estável.

A pessoa forte e calma é sempre amada e respeitada. É como uma árvore que espalha a sua sombra numa terra sedenta ou como uma rocha acolhedora no meio de uma tempestade. Quem não admira um coração tranquilo, uma vida doce e equilibrada? Não interessa se chove ou se faz sol, ou que mudanças estão destinadas àqueles que recebem essas bênçãos, já que eles são sempre doces, serenos e calmos. Essa requintada forma de caráter a que chamamos *serenidade* é a última lição da cultura, o frutificar da alma. É tão preciosa quanto a sabedoria, mais desejada do que o ouro — sim, do que o mais fino ouro. Quão insignificante parece a mera busca pelo dinheiro quando comparada com uma vida serena, que habita o oceano da verdade debaixo das ondas, a salvo do alcance das tempestades, na calma eterna!

Quantas pessoas conhecemos que tornam as suas vidas amargas, que arruínam tudo o que é doce e belo com temperamentos explosivos, que destroem o equilíbrio de caráter, que envenenam o próprio sangue? É uma importante questão, a de saber se a maioria das pessoas não arruína as suas vidas e não destrói a sua felicidade por falta de autocontrole. São tão poucos aqueles que encontramos na vida e que são bem equilibrados, que detêm a requintada elegância de um caráter completo e aprimorado!

Sim, a Humanidade avança com paixão desenfreada, tumultua-se sob um desgovernado sofrimento, deixa-se fustigar pelos vendavais da ansiedade e da dúvida. Somente o indivíduo sensato, aquele cujos pensamentos são puros e ponderados, consegue que os ventos e tempestades da alma lhe obedeçam.

Almas tempestuosas, onde quer que estejam, sejam quais forem as condições em que vivem, saibam disto: no oceano da vida, as ilhas da Bem-Aventurança sorriem a vocês e as praias ensolaradas que são seu ideal aguardam a sua chegada. Segurem com mão firme o leme do pensamento. Na embarcação da vossa alma repousa o Mestre que a comanda. Ele só está adormecido: despertem-no. Autocontrole é força. Pensamento digno é mestria. Serenidade é poder. Digam aos seus corações: "Fiquem em Paz!".

Autocontrole é força.
Pensamento digno é mestria.
Serenidade é poder.

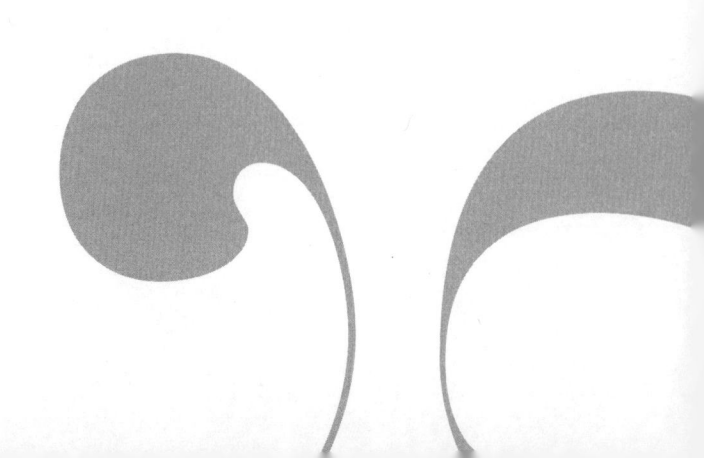

UMA BIOGRAFIA ILUSTRADA

James Allen nasceu em 28 de novembro de 1864, na Brunswick Street, Leicester, na Inglaterra. Sua mãe se chamava Martha Allen e era casada com William Allen. Dessa união nasceram, além do famoso primogênito, mais dois filhos: George e Thomas.

William Allen era considerado um intelectual, um grande leitor que aprovava a sede de conhecimento que observava em seu filho mais velho.

James Allen tinha 15 anos de idade quando a fonte de renda familiar desmoronou, possivelmente devido a uma crise da indústria têxtil na Inglaterra. William resolveu então imigrar sozinho para os Estados Unidos, onde tentaria uma vida melhor e depois levaria a família. Mas, dois dias depois de sua chegada a Nova York, morreu em um hospital. A verdadeira natureza do que lhe aconteceu permanece um mistério. Para Martha Allen, conforme ela registrou em 1912, o marido foi assassinado durante um roubo.

Por esse motivo, James Allen foi forçado a deixar a escola para ajudar no sustento de sua família. James, muitas vezes, trabalhava 15 horas por dia na fábrica, dormindo apenas algumas horas, mas sempre encontrava tempo para estudar e nunca desistia dos livros.

Quando tinha 17 anos, James começou a ler uma cópia de Shakespeare, deixada por seu pai. A obra tornou-se seu único livro, sua bíblia. Aprendeu peças inteiras de cor. Era conhecido pelos colegas de trabalho como "O Santo", ou o "O Pároco", porque não fumava nem bebia.

Tudo aquilo por que sua jovem alma ansiava ele encontrou ao ler o livro *A luz da Ásia*, a história da vida de Buda, contada em uma linguagem poética e inspiradora.

Depois de ler esse livro, James Allen sentiu que havia se tornado um homem diferente. Uma cortina se abriu na face do universo, ele teve uma visão mística. Viu a causa e o significado de coisas que até então eram para ele mistérios obscuros. Foi uma revelação. Essa descoberta provocou nele uma exaltação que o alarmou. A visão o transportou para uma nova dimensão mística, mas, mesmo depois que se desvaneceu, sua influência permaneceu, guardando-o de horas de dúvida e escuridão, até que ele chegou ao momento mais calmo da meditação e ao conhecimento. Foi assim que ele se lembrou da experiência vivida.

Após nove anos de empregos na indústria, James sentiu-se impelido a deixar Leicester, e, aos 25 anos, tomou a decisão de mudar-se para o sul.

Lily Louisa, amor à primeira vista de James Allen. Ficaram juntos até a morte dele, em 1912. Ela cuidou de sua obra, espalhando-a pelo mundo.

Em 1893, quando tinha 26 anos, Lily Louisa trabalhava no East End de Londres, onde, cuidando dos pobres, era conhecida como "Irmã Lily". Nascida em 30 de dezembro de 1867, em Burrishole, ela gostava de tocar piano, no qual executava peças de Mozart e Beethoven.

Nora Lily Allen, única filha do casal, nasceu em 1896.

Lily Louisa e Nora Lily

O casal acreditava serem almas gêmeas de outras vidas, e um pedido de permissão para se casarem foi feito por James Allen em 15 de maio de 1895. O casamento ocorreu em 22 de maio de 1895. A filha do casal, Nora Lily Allen, nasceu em 10 de setembro de 1896.

Quando James tinha 33 anos e Nora, dezoito meses, Lily Louisa percebeu uma mudança no marido, que começou a prática de se levantar antes do amanhecer, caminhar até as colinas e meditar sobre as coisas divinas, e se comunicar com Deus.

Em 1901, foi publicado seu primeiro livro: *Da pobreza ao poder*. Em 1902, James Allen fundou sua própria revista, *The Light of Reason*. Seu sucesso foi seguido por *Todas as coisas acrescentadas*. Foram mais de vinte obras publicadas, e algumas publicações póstumas até 1919. Os livros foram e ainda são traduzidos em todo o mundo.

A saúde de James Allen começou a declinar no fim de 1911. Pacientemente, ele escondeu sua dor daqueles ao seu redor. Ele ainda se levantava de madrugada para meditar, e ainda passava longas horas todos os dias escrevendo em sua mesa. James Allen morreu no dia 24 de janeiro de 1912, uma quarta-feira. O corpo estava vestido com linho branco, e as mãos seguravam sobre o peito uma foto de Lily Louisa.

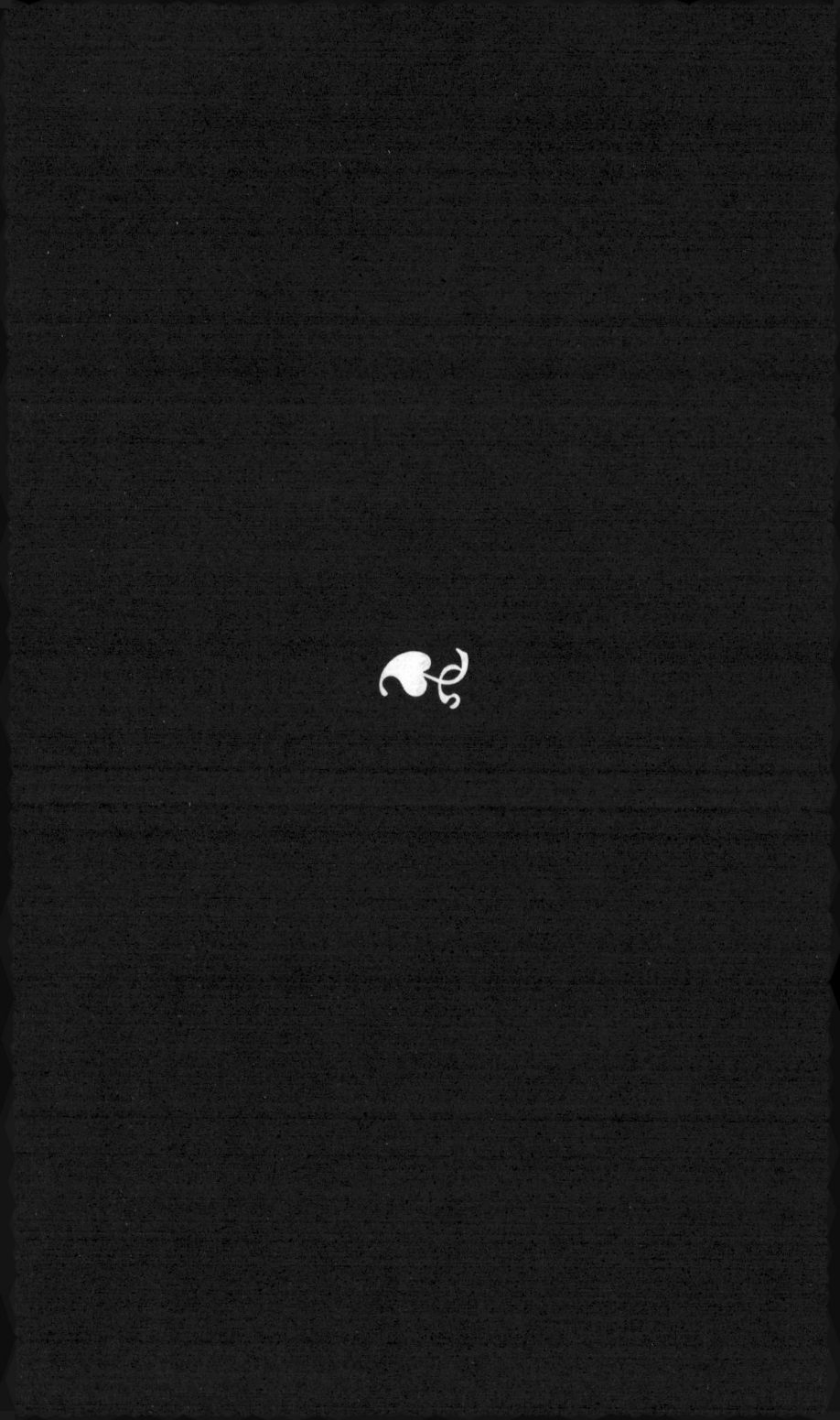

Exercícios práticos

10 DICAS PARA TORNAR SUA MENTE MAIS POSITIVA

1. Crie uma rotina matinal

Acorde sempre mais cedo para que possa tomar seu café da manhã tranquilamente. Medite durante ao menos cinco minutos. Se não souber meditar, comece sentando-se confortavelmente em um lugar calmo e tente relaxar a mente. Tome banho ouvindo uma *playlist* da qual goste.

> **DICA:** Se você mora com muitas pessoas e não dispõe de muito espaço para ter seus minutos de silêncio, converse com seus familiares e diga abertamente que precisa desse tempo, seja no quarto ou – por que não? – até mesmo no banheiro.

2. Pratique exercícios físicos

Os exercícios físicos liberam serotonina e endorfina, que causam a sensação de bem-estar, reduzindo o estresse e a ansiedade. Se você não é frequentador de academia, não tem problema, uma caminhada pelo quarteirão da sua casa já basta. Estudos indicam que o ideal é darmos 10 mil passos todos os dias. Existem aplicativos e relógios que ajudam a contabilizar esses passos diários. Colocar os passos como meta diária ajuda-nos a desenvolver rotinas diárias.

DICA: Se você utiliza meios de transporte público, tente descer alguns pontos antes de sua casa; assim você aumentará o número de passos. Caso utilize carro, tente estacioná-lo mais distante dos locais que frequenta. Outra dica é trocar elevadores por escadas. Essas pequenas mudanças farão uma grande diferença no fim do seu dia.

3. Alimente-se bem

Já foi comprovado que a ingestão de água e alimentos pode afetar nosso humor. A falta de algumas vitaminas pode levar ao estresse, à depressão, a vícios e à ansiedade. Estabeleça como prioridade ingerir ao menos cinco porções de frutas ao dia.

DICA: Não consegue ingerir cinco porções de frutas ao dia? Faça, então, uma vitamina com frutas diversificadas para suprir diferentes nutrientes. Não consegue tomar dois litros de água por dia? Tente saborizá-la com rodelas de laranja, de limão e folhas de hortelã.

4. Uma boa noite de sono

A falta de sono pode fazer com que você se sinta irritado ou hostil. Por isso, em vez de dormir muito tarde, faça alguns ajustes na sua rotina e sentirá a diferença em suas atitudes.

Coloque seu despertador para tocar 30 minutos antes do horário ideal para ir se deitar, e nos próximos minutos evite qualquer tipo de tela. Se gostar do cheiro de essências, vale a pena pingar no travesseiro algumas gotas antes de dormir; elas também ajudam a relaxar a mente.

> **DICA:** Se tiver aparelhos eletrônicos no quarto, cubra os leds com fita isolante preta. A melatonina, hormônio regulador do sono secretado pelo nosso corpo, é afetada pelas luzes, que atrapalham o ciclo circadiano.

5. Gratidão diária

Agradecer alimenta sentimentos que favorecem a sensação de bem-estar e de recompensa. Você pode agradecer pelas coisas que tem, pelas pessoas com quem convive, pelo trabalho, pelos seus animais de estimação e por pequenas vitórias. Um exercício legal para fazer todos os dias é pôr no papel todas as coisas boas que aconteceram no seu dia, ou ao menos as três principais. Se você não conseguir pensar em nada, então seja grato só por poder estar ali pensando sobre isso.

> **DICA:** Lembre-se de que o ideal antes de dormir é não ter mais acesso a telas. Então, esse é um bom momento para você realizar a rotina de escrever suas gratidões diárias.

6. Leia

Não importa o tipo de leitura que mais lhe agrada, o que importa é usar essa ferramenta para focar em outras ideias, histórias, ganhar repertórios novos, ou simplesmente se entreter. Os livros aumentam sua habilidade de refletir, pensar, dialogar, formar opinião, debater com mais base de informação e até escrever melhor.

> **DICA:** Tenha sempre um livro na cabeceira de sua cama. Antes de dormir, a leitura é mais uma forma de se desligar das telas. Também é muito útil ter sempre um livro em sua bolsa ou mochila. Você pode se distrair com ele quando estiver em alguma fila ou dentro de algum transporte público.

7. Ajudar o próximo

Às vezes, a melhor maneira de ajudar a si mesmo é usando sua energia para ajudar alguém. Quando se fala em ajudar o próximo, a primeira associação é que devemos usar dinheiro, mas esse é um pensamento equivocado. Muitas vezes não temos tempo para doar, e esta é uma ótima forma de ajuda. Você pode simplesmente ligar para alguém que não tem companhia e escutar o que quer que ela tenha a dizer, e mesmo que você não concorde com tudo o que ela diga, apenas escute-a. Se forem coisas negativas, tente dizer palavras de solidariedade positivas. Você vai deixar a situação sabendo que criou um efeito cascata e multiplicou a energia positiva em seu ambiente, e essa energia retornará para você multiplicada por dez.

> **DICA:** Deixe em seu carro ou em sua bolsa um saquinho com bolachas, docinhos e um bilhete com mensagens positivas. Quando encontrar alguém na rua pedindo algo, ofereça o agrado. Pode não ser bem o que foi solicitado, mas esses presentes podem iluminar o dia de alguém.

8. Escolha pensar sempre de forma positiva

Desenvolva a vigilância sobre os pensamentos. Quando perceber que um pensamento negativo surgiu, substitua-o por um pensamento oposto. Para isso, você precisa de muita disciplina mental, ou seja, esse é um exercício diário. Ter uma atitude positiva diante da vida atrai pessoas e efeitos positivos. Energias que vibram em sintonia são, naturalmente, mais harmoniosas.

> **DICA:** Coloque seu celular para despertar todos os dias por volta do horário em que você começa a trabalhar. Nomeie esse alarme como "Hoje só pensarei coisas boas". Esse lembrete vai ajudar você a disciplinar seus pensamentos.

9. Experiências solo

Muitas pessoas ficam desconfortáveis ao frequentar sozinhas algum espaço de lazer, como se fôssemos obrigados a nos divertir somente na companhia de alguém. Realize atividades a sós. Vá ao cinema, ao museu, ao seu restaurante preferido — por que não? Faça uma viagem sozinho. Essas experiências podem fazer com que você tenha um momento de reflexão e possa se conhecer cada vez mais. Mesmo que isso nunca tenha passado pela sua cabeça, pense em algumas coisas que gosta de fazer e tente praticar com a sua própria companhia.

> **DICA:** Se você se sente desconfortável fazendo algo sozinho, comece por algum restaurante. Leve um livro com você para ter algo para ocupar as mãos.

10. Repita afirmações positivas

O tempo todo ouvimos políticos e anunciantes repetindo as mesmas mensagens, e muitas vezes acabamos acreditando nelas. O mesmo vale para mensagens sobre quem você é e o que você é capaz de fazer. Repetindo afirmações positivas com convicção várias vezes todas as manhãs, você treinará seu cérebro a acreditar nelas. "Ao longo do tempo, vai começar a internalizá-las."

> **DICA:** Escreva as afirmações em notas adesivas e cole-os em lugares-chave, como o espelho do banheiro, a porta da geladeira, o console do carro e o verso da capa do seu celular. Leia-as por completo, mesmo sabendo o que está escrito.

CONTROLE DE HÁBITOS

Estudos indicam que precisamos de 21 dias para reforçar uma mudança em nossos hábitos. Assim, criamos os exercícios abaixo para ajudar você a reforçar essa mudança positiva no seu cotidiano.

Escreva aqui três coisas que você gosta de fazer:

Aqui, você pode escrever qualquer coisa que gosta de fazer, como novas receitas, brincar com seu filho, ir à academia, ler um livro, assistir a um programa favorito, ouvir uma música agradável, passear nos fins de semana, dar um abraço em alguém, expressar afeto a um ente familiar; enfim, qualquer coisa que lhe traga bem-estar.

1.

2.

3.

Agora, use a tabela abaixo para controlar quantas vezes, após ter enumerado suas três atividades favoritas, a ação foi executada. Use um lápis e faça um X nos dias em que as ações foram executadas. Assim, se não tiver conseguido manter o hábito, pode apagar as informações e tentar novamente.

SEMANA 1						
Dia 1	Dia 2	Dia 3	Dia 4	Dia 5	Dia 6	Dia 7
SEMANA 2						
Dia 8	Dia 9	Dia 10	Dia 11	Dia 12	Dia 13	Dia 14
SEMANA 3						
Dia 15	Dia 16	Dia 17	Dia 18	Dia 19	Dia 20	Dia 21

Escreva aqui três mudanças positivas que gostaria de ver no mundo:

Fazemos parte de uma comunidade, e para vivermos em total sintonia precisamos começar a mudança em nós mesmos para que isto se reflita automaticamente em mudanças no mundo. Muitas vezes defendemos a prática de boas ações, mas acabamos não conseguindo realizá-las. Neste campo você pode escrever, por exemplo, práticas de reciclagem, ajuda ao próximo, doação de tempo para as pessoas, menos desperdício de alimentos, boas ações na sua comunidade; enfim, qualquer ação que ajude o mundo a ser melhor. Compare essas atitudes com o seu estilo de vida atual e veja se elas combinam. Estar em alinhamento com o que sua alma pede é um dos aspectos mais importantes de ficar positivo durante toda a vida.

Aqui você pode escrever

1. _____

2. _____

3. _____

Agora, use a tabela abaixo para controlar quantas vezes, após ter enumerado suas três mudanças positivas, você também as executou.

SEMANA 1						
Dia 1	Dia 2	Dia 3	Dia 4	Dia 5	Dia 6	Dia 7

SEMANA 2						
Dia 8	Dia 9	Dia 10	Dia 11	Dia 12	Dia 13	Dia 14

SEMANA 3						
Dia 15	Dia 16	Dia 17	Dia 18	Dia 19	Dia 20	Dia 21

Largando maus hábitos

Escreva aqui três coisas que você faz e que não mais gostaria de fazer, como ter pensamentos negativos, gastar energia com o que não pode ser mudado, comer excessivamente, beber, ou outros excessos que não fazem bem à saúde, como ser rude com as pessoas com quem convive, poucas horas de sono, baixa ingestão de água; enfim, tudo o que você quer melhorar na vida.

1. _____

2. _____

3. _____

Como nos exercícios anteriores, use a tabela abaixo para controlar quantas vezes, após ter enumerado seus três piores hábitos, você conseguiu evitar as ações.

SEMANA 1						
Dia 1	Dia 2	Dia 3	Dia 4	Dia 5	Dia 6	Dia 7

SEMANA 2						
Dia 8	Dia 9	Dia 10	Dia 11	Dia 12	Dia 13	Dia 14

SEMANA 3						
Dia 15	Dia 16	Dia 17	Dia 18	Dia 19	Dia 20	Dia 21

OBJETIVOS MENSAIS

Tenha sempre em mente seus objetivos mensais, tanto pessoais quanto profissionais.

Use um lápis, e anote nos campos abaixo, no início de cada mês, qual objetivo quer alcançar; e, no fim, anote se o objetivo foi ou não cumprido. Todas as anotações abaixo irão fazer com que você se conheça melhor, e esse conhecimento vai transformar o modo como você pensa e age.

OBJETIVOS DO MÊS: ____ / ____ / _____

Campo pessoal:

Campo profissional:

Conseguiu cumprir os objetivos definidos para o mês? É possível melhorar?

Liste três aprendizados deste mês:

O que pode ser destacado como marcante neste mês que passou:

CARDS ESPECIAIS
PARA BAIXAR
USANDO QR CODE

Aponte a câmera do seu celular para o QR Code abaixo e baixe cards com frases do livro para imprimir, usar nas redes sociais ou enviar para pessoas especiais. São pequenos lembretes que ajudarão a focar a mente naquilo que realmente importa. Você tem o poder de pensar de forma diferente. Os pensamentos são o seu espelho. Já sabe:

Você é aquilo que pensa